QUAND J'ÉCRIS AVEC MON CŒUR

j'écris
pour toi

Texte et illustrations
Mireille Levert

Une société de Québecor Média
leseditionsdelabagnole.com

MOI

Voilà
J'ai trop de nez
trop de bouche
trop de cheveux
trop de fesses
trop de jambes
et une oreille
d'extraterrestre

Tout est bricolé maison
et collé un peu de travers
Mais l'effet d'ensemble est génial
Je dirais même parfait
Je suis immensément belle
Belle comme une mouche à feu
La nuit et même le jour
ma peau toute blanche
luminescente
éclaire mes rêves
et les tiens

Et non de non
je n'aurai jamais
trop de cœur

AVEC MES OREILLES

Quand j'écris avec mes oreilles
elles s'ouvrent
comme deux grandes portes
Alors j'entends
la mouche s'envoler
puis atterrir sur l'assiette
de mon petit-déjeuner

J'entends mon chien rêver à un os géant
J'entends la marche des fourmis
J'entends la sève dans les arbres
J'entends mes cheveux pousser
J'entends mon sang circuler

J'entends mon cœur qui bat
et aussi le tien

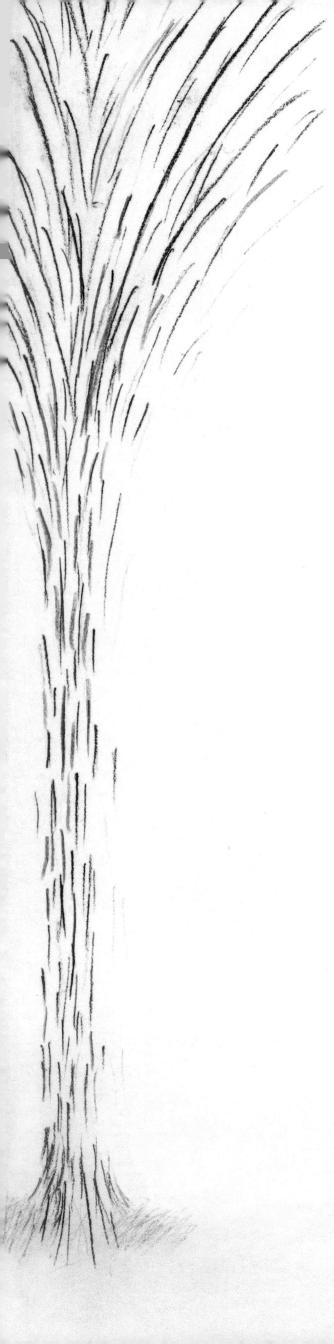

AVEC MES YEUX

Quand j'écris avec mes yeux
je vois la petite fleur mauve
jaillir du trottoir
Je vois dans la rue
le monsieur pas de souliers
qui sent le fromage
et je lui fais mon sourire
à trois millions de dollars

Quand j'écris avec mes yeux
je suis dans mon lit
mes cheveux ébouriffés sur l'oreiller
la couverture jusqu'au cou
Le soleil se couche

Mes yeux de chat brillent
Je vois dans le noir
toutes mes peurs
Je leur dis
on prend un numéro
on ne se bouscule pas
Je salue les sorcières
les fantômes, les vampires
et les loups-garous

Et une à la fois
mes peurs entrent
et se rangent
dans le placard

Puis heureuse
je bâille
je ferme les yeux

AVEC MES MAINS

Quand j'écris avec mes mains
je touche ta joue
je caresse tes cheveux
je te prends par la main
et je te guide dans le noir

Nous verluisons et brillons dans la nuit

AVEC MA TÊTE

Quand j'écris avec ma tête
je me prends pour un génie
je me gonfle comme une montgolfière
je fais mon intelligente

Je fais comme si je savais tout
même si je suis pleine
Pleine de mille mille mille questions

AVEC MON CŒUR

Quand j'écris avec mon cœur
il n'y a pas de concours de qui a le plus gros fusil
ni d'exposition universelle d'explosions
Plus personne n'a faim et derrière chaque maison
il y a un petit jardin avec des balançoires

Les méchants sont partis habiter
et se chicaner sur une autre planète
Ils ont emporté avec eux la vengeance
la tristesse et tous leurs mauvais tours

Mon lit immense
est assez grand pour accueillir
et bercer tous ceux que j'aime
Le petit escargot gris du jardin
les oiseaux-mouches et les fleurs rouges
les chats noir et blanc de grand-mère
ma sœur encore là, mon autre sœur déjà partie
ma mère, mon père, ma tante de 97 ans
mon ami débordant de merveilleux poèmes

Ensemble nous rêvons

Tous les enfants ont un papa et une maman

QUAND J'ÉCRIS
DE LA POÉSIE

La poésie
c'est avoir des yeux
dans le trou des yeux
dans la paume des mains
au bout des doigts
sur le ventre

Mais surtout
dans le cœur

La poésie
c'est des étoiles
qui tombent sur mon pyjama
et restent là à scintiller toute la nuit

La poésie
C'est quand j'imagine
et vois tout le monde
avec des oreilles de lapin
et que je ne le dis à personne

La poésie
c'est quand des mots
me chatouillent la bouche
puis jaillissent de mes lèvres
en fleurissant comme des fleurs

La poésie
c'est parler chenille, papillon
chat, chien et chevreuil
en même temps

La poésie
c'est quand je mets
une chaussette rouge
et une autre bleue
une petite culotte à pois
une robe à rayures
un chapeau avec des antennes
pour sauter sur une patte
toute la journée

La poésie
c'est voir la guerre et pleurer
puis ouvrir ses bras
pour consoler les petits et les grands
avec les mots du cœur

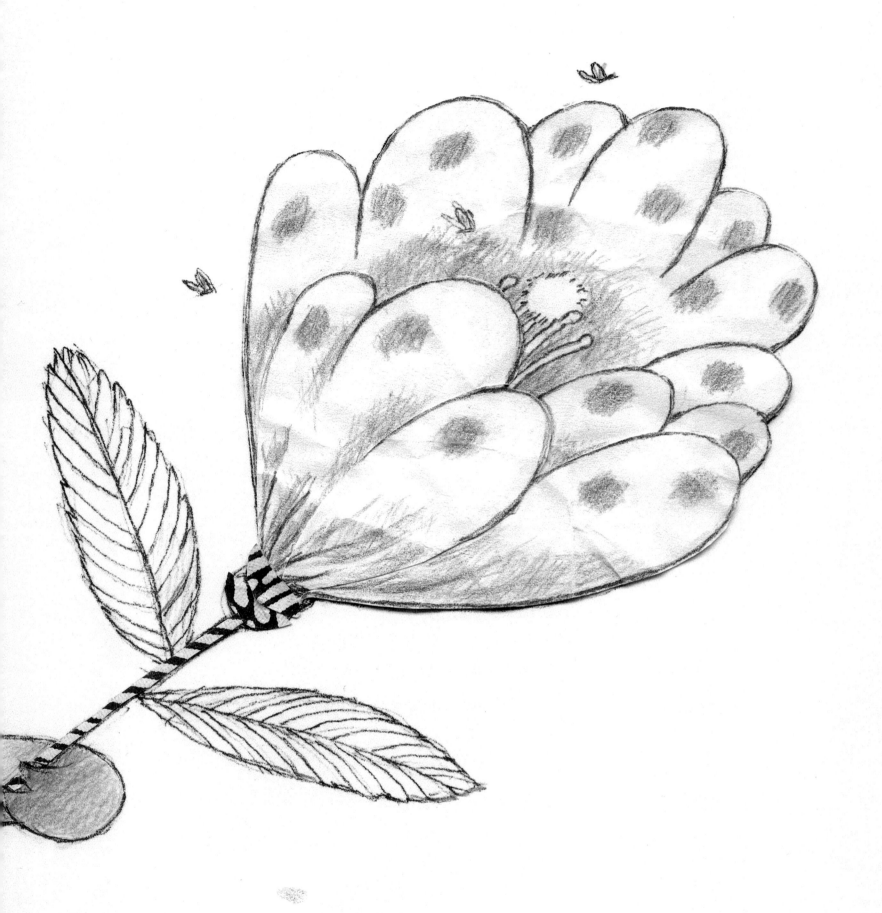

La poésie
c'est voir tout ce qui est triste
et continuer à fabriquer
des fleurs de papier
grosses comme des éléphants

La poésie
c'est voir ce qui est invisible

La poésie
c'est croquer la pomme
puis croquer le cœur de la pomme

La poésie
c'est dormir avec son pyjama préféré
et au petit matin le garder
Ouvrir la porte de la maison
et aller dehors comme ça

Faire comme si je ne voyais pas
les yeux tout ronds des gens
Faire comme si je n'entendais pas
leurs chuchotements

Suivre mon chemin
Me rendre là-bas
là où tout le monde
porte son plus beau pyjama

La poésie
c'est tricoter des chandails
et des bonnets pour les papillons
En plein cœur de l'hiver
me promener au parc avec eux

Ensemble regarder
les flocons de neige tourbillonner
et se poser doucement
sur les branches des arbres

La poésie
c'est raconter des mensonges
Pas des gros, des petits coquins
pour regarder mon nez s'allonger

Lorsqu'il ressemble
à celui de Pinocchio, j'attends

Un après l'autre ils arrivent
les oiseaux de toutes les couleurs
Ils se posent, ils se bousculent, ils se bécotent
ils me parlent, ils me donnent
des nouvelles du monde

QUAND J'ÉCRIS
AVEC MES ÉMOTIONS

La tristesse
c'est quand tout pleure autour de moi
Le ciel, les nuages, les arbres,
les fleurs, les parapluies
et moi

La joie
c'est mon cœur léger
comme un ballon
qui veut s'envoler

La peur
c'est un gros méchant loup
caché dans mon ventre
qui hurle à la lune

La peine
c'est mon cœur
arrosoir percé
qui coule de partout

La colère
c'est l'horrible monstre
tout rouge dedans et dehors
qui m'a avalée

L'amour
c'est mon cœur qui bat trop vite
mes joues toutes rouges qui brûlent
mes jambes toutes molles qui tremblent
mes mots qui s'emmêlent
alors que j'ai très envie d'être collée, collée

Le bonheur
c'est quand j'écris des mots
et que mon crayon étincelle

QUAND J'ÉCRIS
PARFOIS

ÇA ME GRATTE

Ça me gratte les couchers de soleil

Assise sur un rocher je regarde
le soleil descendre à l'horizon
Toutes les belles couleurs dégoulinent
sur le grand mur du ciel

C'est à ce moment-là qu'il arrive
au grand complet
avec sa musique énervante
mon fan-club de maringouins

Je suis très recherchée
pour ma peau douce
mon goût unique
de crème glacée à la vanille
Elles me piquent ici
elles me piquent là
les vilaines bestioles

ÇA ME PIQUE

Lorsque le soleil a vraiment disparu
il ne me reste plus qu'à me gratter
le coucher de soleil

Parfois la nuit
il me pousse des ailes
et au petit matin
lorsque je me réveille
elles sont encore là

Je le sais
ça me pique dans le dos

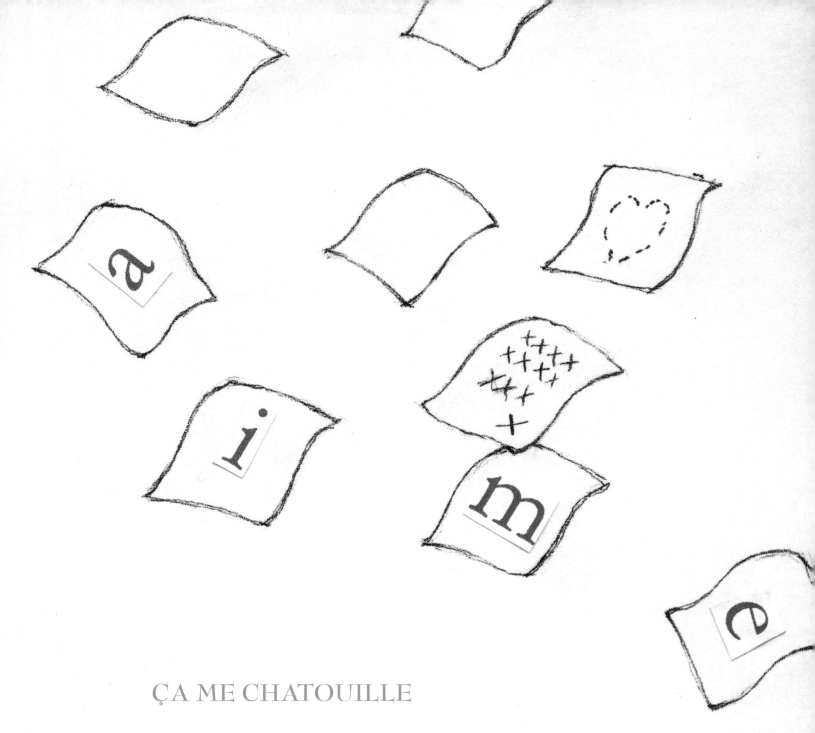

ÇA ME CHATOUILLE

Les minuscules fourmis rouges
sur mon papier à dessin
les brins d'herbe sous mes pieds nus l'été
mes longs cheveux dans mon cou
mon dez lorsque j'ai le rube
dehors les jours de grand vent
tout ça me chatouille

Mais surtout ça me chatouille partout
quand je le vois
parce que je l'aime
Je veux juste le prendre dans mes bras
et le chatouiller avec des baisers

ÇA COINCE

Dans mon dos ça coince
Ça fait un gros nœud
quand tu es fâché contre moi
que tu ne me regardes plus
que tu ne me parles plus
et que tu fais du boudin toute la journée

Quand tu n'es plus fâché
et que tu recommences à me parler
ça ne coince plus dans mon dos
Mes ailes poussent
et je m'envole avec toi

ÇA TOURNE

Quand j'apprends
que la Terre est ronde
ça tourne, ça tourne

QUAND J'ÉCRIS
JE ME POSE
MILLE MILLE MILLE QUESTIONS

Depuis toujours
je me pose
mille mille mille questions

Dans le ventre de ma mère
je me demandais
Est-ce que je peux
Pourquoi on me dit
que je suis trop petite
Pourtant je le sais
En dedans
je suis grande

Aujourd'hui encore
je me pose
mille mille mille questions

Je ne m'ennuie jamais

MILLE MILLE MILLE QUESTIONS

Si je me lève
à l'heure des poules
est-ce que je vais
pondre des œufs

Le féminin de pou
est-ce que c'est poule

Le féminin de loup
est-ce que c'est loupe

Qui est-ce qui allume
et éteint les étoiles
chaque soir

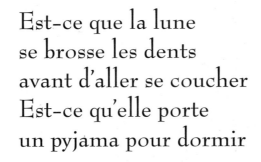

Est-ce que la lune
se brosse les dents
avant d'aller se coucher
Est-ce qu'elle porte
un pyjama pour dormir

Si j'avais eu
une maman oiseau
est-ce que je pourrais
voler dans le ciel

À quoi rêvent les ours
en hibernation
Est-ce qu'ils rêvent
comme moi
de voler dans le ciel
avec les oiseaux

QUAND J'ÉCRIS

MOI

Quand j'écris
avec mon cœur
j'écris pour toi
Toi d'ici
ou de là-bas
Toi que j'aime
même si
je ne te connais pas
puisque le cœur
n'a pas de couleur

AVEC MON CŒUR

TOI

Quand tu ouvres ton cœur
tu as la tête
remplie de fourmis
de cigales, de papillons
de fleurs grosses
comme des éléphants
de chats fleuris
de mots sautillants
Tu es rempli de poésie

À ma mère,
de qui j'ai reçu l'amour des mots.
Cette photo d'elle m'a inspirée
le tout premier dessin de ce livre.
M. L.

Catalogage avant publication de Bibliothèque et Archives nationales du Québec
et Bibliothèque et Archives Canada

Levert, Mireille
    Quand j'écris avec mon cœur
    Poèmes.
    Pour enfants de 7 ans et plus.
    ISBN 978-2-89714-101-1
    I. Titre.

PS8573.E956Q36 2014   jC841'.54   C2014-940757-2
PS9573.E956Q36 2014

| GROUPE VILLE-MARIE LITTÉRATURE VICE-PRÉSIDENT À L'ÉDITION Martin Balthazar | ÉDITIONS DE LA BAGNOLE ÉDITRICE Annie Ouellet | DIRECTION LITTÉRAIRE Michel Therrien et Jennifer Tremblay | DIRECTION ARTISTIQUE Anne Sol et Jennifer Tremblay |

La Bagnole est sur Facebook! Suivez-nous pour être informés des activités et des nouvelles parutions.
Facebook.com/leseditionsdelabagnole

DISTRIBUTION EN AMÉRIQUE DU NORD
Canada et États-Unis:
Messageries ADP Inc.*
2315, rue de la Province
Longueuil (Québec) J4G 1G4
Pour les commandes : 450 640-1237
messageries-adp.com
*Filiale du Groupe Sogides inc.;
filiale de Québecor Média inc.

DISTRIBUTION EN EUROPE
Librairie du Québec / DNM
30, rue Gay-Lussac
75005 Paris
Pour les commandes : 01 43 54 49 02
direction@librairieduquebec.fr
librairieduquebec.fr

LES ÉDITIONS DE LA BAGNOLE
Groupe Ville-Marie Littérature inc.
Une société de Québecor Média
1055, boulevard René-Lévesque Est,
Bureau 300
Montréal (Québec) H2L 4S5
Tél.: 514 523-7993
Téléc.: 514 282-7530
info@leseditionsdelabagnole.com
leseditionsdelabagnole.com

Nous remercions le Conseil des arts du Canada de l'aide accordée à notre programme de publication.

Les Éditions de la Bagnole bénéficient du soutien de la Société de développement des entreprises culturelles du Québec (SODEC) pour leur programme d'édition.

Gouvernement du Québec – Programme de crédit d'impôt pour l'édition de livres – Gestion SODEC

Financé par le gouvernement du Canada | Canada

Imprimé au Canada en juin deux mille dix-sept